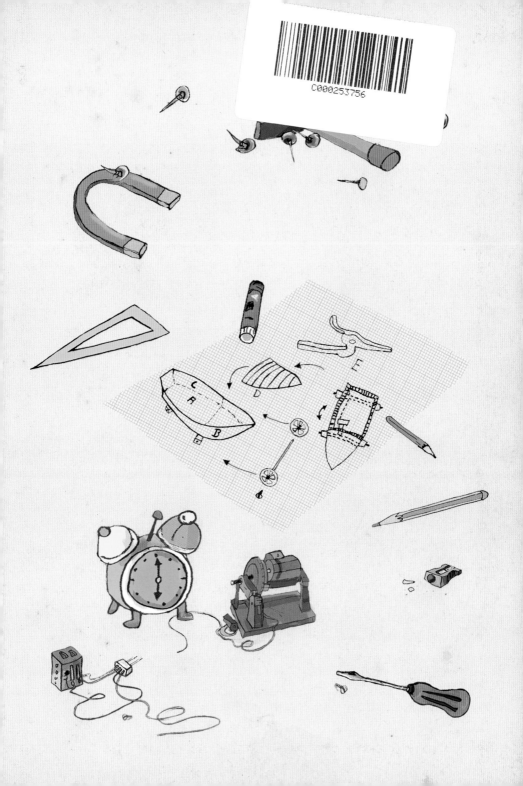

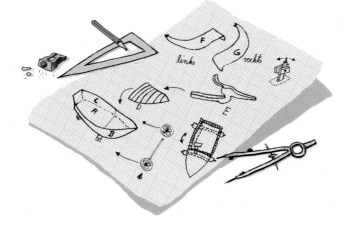

Ulli Schubert

Erfindergeschichten

Zeichnungen von Elisabeth Holzhausen

Der Umwelt zuliebe ist dieses Buch
auf chlorfrei gebleichtem Papier gedruckt.

ISBN 978-3-7855-5869-0
1. Auflage 2007
© 2007 Loewe Verlag GmbH, Bindlach
Umschlagillustration: Elisabeth Holzhausen
Reihenlogo: Angelika Stubner
Printed in Germany (017)

www.loewe-verlag.de

Inhalt

Alexander Graham Bell

Sophie konnte die Musik schon von draußen hören. Es war ein Lied von früher, ein Oldie.

Leider versuchte jemand, das Lied mitzusingen. Die Tonlage war so schief, dass selbst die Jury von *Deutschland sucht den Superstar* sprachlos darüber gewesen wäre. Man konnte nicht einmal erkennen, ob die Stimme weiblich oder männlich war.

„Max ...!", dachte Sophie und öffnete die Haustür.

In der Wohnung war es beinahe so laut wie in der Teenie-Disco im Jugendzentrum, in der sie vor ein paar Tagen zum ersten Mal gewesen war. Wahrscheinlich war Mama nicht zu Hause, und Max nutzte die Gelegenheit, seine Anlage einmal richtig aufzudrehen.

Doch Sophie irrte sich. Ihr Bruder hatte mit dem Lärm nicht das Geringste zu tun.

Ganz im Gegenteil. Mit offenem Mund stand er in der Küchentür und schüttelte nur ungläubig den Kopf.

Als Max seine Schwester bemerkte, winkte er sie zu sich.

„Komm schnell, das musst du gesehen haben!", sagte Max.

Sophie huschte über den Flur und warf einen Blick in die Küche. Sie traute ihren Augen kaum!!

Mama tanzte um den Küchentisch, hielt den Kochlöffel wie ein Mikrofon vor den Mund und sang lauthals mit:

„Alexander Graham Bell
Well, he knew darned well ..."

„Was bedeutet ‚darned'?", fragte Sophie leise ihren Bruder, der immerhin schon in der 6. Klasse war und es eigentlich wissen musste. Den übrigen Text hatte sie verstanden. Jedenfalls so einigermaßen.

Doch Max zuckte nur mit den Schultern. „Keine Ahnung", flüsterte er zurück.

„Verflixt", sagte Mama plötzlich.

Sophie und Max starrten sie an.

„‚Darned' bedeutet ‚verflixt'", erklärte
Mama und sang dann auf Deutsch weiter:
„Alexander Graham Bell, ja, der wusste
verflixt gut ..." Dann hörte sie plötzlich auf
zu singen und lächelte gedankenverloren
vor sich hin.

„Woran denkst du?", fragte Sophie
neugierig.

„An früher", sagte Mama. „Der Song war
mal mein Lieblingslied."

„Als du Papa kennengelernt hast?",
wollte Sophie wissen.

Mama schüttelte den Kopf. „Nein, viel
früher", sagte sie und senkte die Stimme.
„Bei dem Lied habe ich mich zum ersten
Mal verliebt!"

„In Alexander Graham Bell?", fragte Max erstaunt.

„Quatsch!" Mama lachte. „Der hat das Telefon erfunden, von dem handelt das Lied doch nur. Nein, meine erste Liebe hieß Martin." Sie schloss die Augen und seufzte.

„Martin konnte traumhaft tanzen, und seine Stimme war einfach himmlisch. Er hat mir alles über diesen Erfinder erzählt, und ich habe ihm stundenlang zugehört. Obwohl mich das eigentlich gar nicht interessiert hat."

„Genau wie bei mir und Finn", dachte Sophie und seufzte ebenfalls. Seit ihrem

ersten Abend in der Teenie-Disco wusste sie alles über Basketball ...

„Aber – dieser Alexander Graham Bell ist doch gar nicht der Erfinder des Telefons", sagte Max.

Mama stutzte. „Nicht?"

„Nein, das war ein gewisser Antonio Meucci", behauptete Max. „Das weiß ich aus dem Internet."

„Oh", machte Mama und dachte nach. Doch dann winkte sie ab. „Weißt du was? Das ist mir egal. Die Hauptsache war, dass Martin eine schöne Stimme hatte!"

„Genau", dachte Sophie und freute sich schon auf ihren nächsten Disco-Besuch ...

Stromausfall

Es war am Samstagabend um kurz nach
sechs. Plötzlich hatten wir keinen Strom
mehr. Das Licht erlosch, der Fernseher
ging aus, und das Radio in der Küche
verstummte. Es war stockdunkel im Haus
und totenstill. Allerdings nicht lange.

„He, was soll das?", rief Niklas, mein
großer Bruder, aus seinem Zimmer.

„Keine Panik", rief Papa zurück. „Das ist
bestimmt nur die Sicherung. Mona, kannst
du bitte mal die Kerze halten?"

Ich ging mit Papa zum Sicherungs-
kasten, der im Flur in der Nähe der
Haustür hing.

Papa überprüfte die Sicherungen, doch
sie waren alle in Ordnung.

„Merkwürdig", murmelte Papa.

Ich schaute hinaus auf die Straße.

„Es ist *überall* dunkel", sagte ich. „Kein
einziges Haus hat Licht. Sogar die
Straßenlaternen sind aus."

„Na toll", knurrte Papa. „Stromausfall.
Ausgerechnet jetzt!"

Mein Bruder kam wütend die Treppe
hinunter.

„Seid ihr verrückt geworden?", schimpfte er. „Ich brenne gerade eine CD! Die kann ich jetzt vergessen!"

„Beruhige dich", sagte Papa. „In fünf Minuten fängt die Sportschau an. Und? Rege ich mich auf? Nein. Dabei kenne ich noch nicht einmal die Bundesliga-Ergebnisse."

„Also, ich finde es gemütlich", sagte Mama fröhlich. Sie ging durch die Wohnung und zündete jede Kerze an, die sie finden konnte.

„Noch", meinte Papa. „Aber warte ab,
bis es kalt wird."

„Oh Gott!", rief Mama plötzlich.
„Der Eisschrank! Ich hab doch so viel
eingefroren. Fleisch und Gemüse.
Hoffentlich muss ich das jetzt nicht alles
wegwerfen!"

„Immer mit der Ruhe", meinte Papa.
„So schnell tauen die Sachen schon nicht
auf. Der Stromausfall wird ja hoffentlich
nicht die ganze Nacht dauern."

Die ganze Nacht? Oje, das waren ja
schöne Aussichten für einen Samstagabend!

„Ich gehe ins Bett", verkündete ich.
„Dort ist es schön warm, und ich kann ein
bisschen lesen."

„Ohne Licht?", fragte Papa.

„Ich hab doch eine Taschenlampe",
erwiderte ich.

„Hast du denn neue Batterien gekauft?",
fragte Papa.

Mist, das hatte ich vergessen!

„Wisst ihr was?", sagte Mama. „Wir
fahren jetzt in die Stadt, suchen uns

ein Restaurant und gehen schön essen.
Das ist auf alle Fälle besser, als tatenlos
darauf zu warten, dass der Strom wieder
funktioniert."

Damit waren alle einverstanden.

Zweieinhalb Stunden später kehrten wir
pappsatt und gut gelaunt vom Restaurant
nach Hause zurück. Die Straßenlaternen
in unserem Dorf brannten wieder, und die
Fenster in den anderen Häusern waren
hell erleuchtet.

„Na, Gott sei Dank", sagte Mama erleichtert. „Ich möchte wirklich wissen, wie die Menschen es früher geschafft haben, ohne Strom zu leben. Das ist wirklich die tollste Erfindung aller Zeiten!"

Dann lief sie in die Küche, um nach den eingefrorenen Lebensmitteln zu schauen.

Auch Papa war froh, dass der Strom wieder funktionierte. Jetzt konnte er wenigstens noch die Bundesliga im *Aktuellen Sportstudio* sehen.

Niklas verschwand in seinem Zimmer, um zu prüfen, ob sein Computer den Stromausfall heil überstanden hatte.

Ich ging ins Bett und dachte darüber
nach, was Mama gesagt hatte. Ich
versuchte, mir ein Leben ohne Strom
vorzustellen. Für immer, nicht nur für ein
paar Stunden. Es gelang mir nicht
wirklich, und ich war plötzlich sehr froh
darüber, dass es Strom gab und ich
einfach nur einen kleinen Schalter
betätigen musste, um die Leselampe
über meinem Bett einzuschalten ...!

Die Meerschweinchen-Fütter-Maschine

„Simon?", ruft Mama aus der Küche. „Hast du Robin schon gefüttert?"

„Nein, noch nicht!", rufe ich zurück.
Robin ist mein Meerschweinchen.

„Dann tu es bitte!"

„Gleich", sage ich. „Ich muss erst ..."

„Nicht gleich – jetzt!", unterbricht mich Mama.

„Ja, ja, ja", murmele ich leise.

Jeden Tag geht das so. Wenn Mama meint, dass Robin Hunger hat, muss ich immer sofort zur Stelle sein. Dabei würde es Robin bestimmt nicht schaden, mal einen Tag lang nichts zu fressen. So kugelrund wie er ist!

Auf meinem Schreibtisch liegt ein fast fertig zusammengebautes Flugzeug-modell. Zwölf Teile fehlen nur noch. Ich würde es lieber erst zu Ende basteln, aber wenn Mama „jetzt" sagt, dann meint sie auch „jetzt". Also schraube ich seufzend den Deckel auf die Klebstofftube und gehe zu Robins Käfig, der an der Wand unter dem Fenster steht.

„Es müsste eine Maschine geben, die dich jeden Tag automatisch füttert", sage ich vor mich hin und nehme die Futterschale aus Robins Käfig. „Eine Meerschweinchen-Fütter-Maschine, was hältst du davon?", frage ich Robin, während ich die volle Futterschale zurück in den Käfig stelle.

Er schaut mich an, als wollte er sagen:
„Wieso, ich habe doch schon eine Fütter-
Maschine: dich!" Und dann macht er sich
über die Schale her, als hätte er seit
Tagen nichts zu fressen bekommen.

„Ich finde die Idee klasse", sage ich und
lege sofort los.

Einen Plan habe ich schnell entworfen,
und im Keller finde ich alles, was ich dafür
brauche: die alte „Heiße-Räder"-Renn-
bahn, einen Wecker, einen kleinen

Elektromotor, eine Zange, eine Schranke
von der Modelleisenbahn, eine Batterie,
verschiedene Kabel, Schraubenzieher ...
   Zurück in meinem Zimmer, baue ich
zuerst die „Heiße-Räder"-Bahn auf. Ich
befestige das eine Ende oben auf dem
Wäscheschrank und das andere am
Meerschweinchenkäfig. Die letzte Schiene
endet genau am Gitter über der Futterschale.

„Pass auf, Robin, jetzt kommt der erste
Test!"

Robin schaut tatsächlich neugierig zu,
wie ich eine Hand voll Körner aus der
Futterpackung nehme und sie oben auf
die „Heiße-Räder"-Bahn lege. Wie
Raketen schießen die Körner die Bahn
hinab, prasseln in die Futterschale,
springen wieder heraus und schießen
kreuz und quer durch den ganzen Käfig.

Robin quiekt erschrocken auf und versteckt sich schnell in seinem Häuschen.

„Tut mir leid", sage ich und suche einen anderen Startplatz. Der Schrank ist eindeutig zu hoch.

Zunächst versuche ich es mit dem Schreibtisch, doch der ist zu niedrig. Die Futterkörner bleiben auf halber Strecke liegen. Das Bücherbord dagegen hat genau die richtige Höhe. Die Körner

rutschen die gesamte Bahn hinunter
und rieseln schließlich langsam in die
Futterschale.

„Super!", juble ich.

Aber der schwerste Teil kommt erst
noch. Ich schneide mit der Zange die
Bahnschranke zurecht, sodass sie genau
in die „Heiße-Räder"-Bahn passt. Dann
verbinde ich eines der Kabel mit dem
Wecker, der Batterie und dem Motor und
schließe die Schranke an den Motor an.
Ich stelle den Wecker und warte gebannt
zwei Minuten – es klappt! Der Wecker
klingelt, die Schranke öffnet sich, und
die Futterkörner rutschen hinunter.

„Mama! Sieh mal, was ich gebaut habe!"

Einen Augenblick später führe ich ihr
meine Erfindung vor. Wieder funktioniert
alles reibungslos: Der Wecker springt an,
die Schranke geht hoch, die Körner setzen
sich in Bewegung!

„Na?!", sage ich stolz, als das Futter in
der Schale liegt.

„Toll", sagt Mama beeindruckt. „Und wie kommt das Futter da oben hin?"

„Das muss ich natürlich dort hinlegen", erkläre ich.

„Ach so", sagt Mama. „Aber wäre es denn nicht einfacher, das Futter gleich in die Futterschale zu legen?"

„Ach Mama", seufze ich. „So macht es doch viel mehr Spaß!"

„Na ja, Hauptsache, Robin wird regelmäßig gefüttert", meint Mama.

„Eben", sage ich, lege eine Hand voll Körner auf die Rennbahn und stelle den Wecker – für morgen.

Der Flugsaurier

Ich entdeckte das Plakat als Erster: „Wettbewerb! Große Show mit selbst gebauten Flugobjekten! Ein Spaß für die ganze Familie! Anmelden unter Telefon ..."

„He, da können wir doch mitmachen!", schlug ich vor.

„Oh ja, Papa, bitte", rief Lea, meine Schwester.

„Ich weiß nicht", sagte Papa zögernd. „Ich habe so etwas schon mal gesehen. Das sind keine Flugzeuge, sondern Seifenkisten für die Luft. Damit fährt man einen Abhang hinunter, hinauf auf eine Rampe – und dann fliegt man. Manche schaffen es nur zehn Meter weit, andere 20, 30 oder sogar 50 Meter. Am Ende landen alle in einem See."

„Das hört sich super an!", fand ich, und auch meine Schwester war begeistert.

„Es gibt sogar Preise zu gewinnen", sagte sie und las vor, was noch alles auf

dem Plakat stand. „Für den weitesten
Flug, für die verrücktesten Maschinen bis
hin zu einem Sonderpreis."

„Na gut, von mir aus", gab Papa nach
und sah Mama an. „Was meinst du denn
dazu, Karin?"

Mama zuckte nur mit den Schultern.
Damit war die Sache entschieden. Lea
und ich jubelten.

In den darauffolgenden zwei Wochen
bastelten wir in jeder freien Minute an
unserem Flugkörper. Einen ganzen Tag
dauerte es alleine schon, bis wir uns
endlich entschieden hatten, wie unsere
Erfindung aussehen sollte. Dann waren
wir uns aber einig: Es sollte ein Flugsaurier werden.

Als die Baupläne fertig waren, besorgte
Papa ein ausgedientes Segelboot von
einem Bootsverleih. Wir schmirgelten
die alte Farbe ab und malten es neu an.

Natürlich flugsauriergrün! Vorn und hinten befestigten wir die Achsen für die Räder. Die beiden Ruder klebten wir fest, sodass sie an beiden Seiten etwa einen halben Meter herausragten. Den Mast sägten wir in der Mitte durch. Die untere Hälfte kam in die Mitte des Bootes. Den anderen Teil befestigten wir vorn. Darauf steckten wir den Kopf, den wir aus Pappmaschee hergestellt hatten.

Zum Schluss baute Papa aus leichtem Holz das Gerippe des Sauriers, während wir vier zusammengenähte Bettlaken bemalen mussten. Es war Schwerstarbeit.

Zum Glück hatte Mama sich von unserer Bastelwut anstecken lassen und half uns dabei.

Endlich, zwei Tage vor dem großen Wettbewerb, war unser Flugobjekt fertig. Leider durften wir es nicht ausprobieren, weil Papa befürchtete, dass der Saurier den Testflug nicht überstehen würde.

Am Tag der Show luden wir den Flugsaurier auf einen Anhänger und fuhren zu dem Veranstaltungsgelände am See. Es waren bereits eine Menge Zuschauer dort.

Mama wollte sich zu ihnen gesellen und uns anfeuern, doch der Veranstalter hielt eine böse Überraschung für sie bereit.

„Sie müssen mitfliegen", erklärte er. „In jedem Flugobjekt müssen nämlich mindestens vier Leute sitzen."

Mama öffnete den Mund, um zu protestieren, doch Lea und ich setzten sofort unseren Dackelblick auf. Auch Papa sah Mama bittend an.

„Schon gut", gab Mama nach und setzte sich ganz nach hinten in unseren Flugsaurier. Lea und Papa kletterten hinterher, und ich zwängte mich auf den vorderen Platz hinter das Lenkrad.

„Jetzt geht's los!", riefen die Zuschauer wie auf einem Fußballplatz, als wir an der Reihe waren. Wir wurden angeschoben. Schneller, immer schneller fuhren wir den Hügel hinunter. Der Flugsaurier wackelte bedenklich, aber unsere Konstruktion hielt.

Die Rampe kam! Wir rasten sie hinauf, hoben ab – und schwebten plötzlich durch die Luft. Lautlos und vollkommen ruhig. Es war wunderbar!

„Wir fliegen!" Ich konnte es kaum fassen.

„Juhuu!", rief Lea, und auch Papa jubelte vor Begeisterung.

Nur Mama fühlte sich nicht wohl. Sie schrie und kreischte, lauter als 20 Mädchen in der Achterbahn!

Doch schon nach wenigen Sekunden fielen wir mit einem lauten Platschen in den See. Wir schwammen ans Ufer und stiegen nass, aber sonst völlig unversehrt aus dem Wasser. Ich war überglücklich!

Am Ende gewannen wir sogar einen Pokal. Oder besser gesagt: Mama. Den Sonderpreis für den lautesten Kreischer!

Echt dufte

Paul ist verliebt! In Melina. Wieso, weshalb und warum, das weiß er selbst nicht so genau. Im Unterricht sitzt er neben ihr, dabei ist es wohl passiert.

Natürlich möchte Paul wissen, ob Melina ihn auch mag. Doch leider hat er überhaupt keine Ahnung, wie er das herausfinden soll. Zum Glück lassen Leon, Kevin und Moritz ihn nicht im Stich.

„Schreib ihr doch einen Liebesbrief", schlägt Leon vor, als die vier Freunde in Pauls Zimmer Kriegsrat halten.

„Bist du verrückt?", kreischt Paul auf.

„Keinen richtigen Liebesbrief", beschwichtigt Leon ihn. „Nur ‚Ich liebe dich, liebst du mich auch?'. Darunter malst du zwei Kästchen und schreibst ‚ja' und ‚nein' daneben."

„Und das funktioniert?", fragt Paul zweifelnd.

„Ich hab's in einem Buch gelesen, da hat es super geklappt", erklärt Leon.

„Was liest du denn für Bücher?", fragt Kevin und verzieht das Gesicht.

Prompt wird Leon rot.

„Das ist doch Quatsch", meint Moritz. „Paul kann nicht einfach schreiben, dass er Melina liebt. Das ist peinlich!"

„Genau!" Paul atmet erleichtert auf.
„Aber ... was soll ich dann tun?"

„Cool bleiben", schlägt Moritz vor. „Du
darfst dir nicht anmerken lassen, dass du
Melina magst. Mein großer Bruder macht
das immer so."

„Korrekt", sagt Kevin beeindruckt. „Hatte
dein Bruder schon viele Freundinnen?"

„Na ja", druckst Moritz herum, „eher
nicht. Aber er war schon ein paar Mal
ganz knapp davor. Behauptet er
jedenfalls ..."

„Oh", macht Kevin.

„Irgendwie muss es doch möglich sein, einem Mädchen zu zeigen, dass man es mag", zermartert Leon sich das Hirn.

„Vielleicht sollte ich einfach nur nett zu Melina sein", überlegt Paul.

„Auf gar keinen Fall!", sagt Moritz. „Nachher glaubt Melina noch, dass du ein Weichei bist!"

„Oh Gott", stöhnt Paul auf. „Verliebt zu sein, ist ganz schön kompliziert."

Die anderen drei Jungs nicken. In Pauls Zimmer herrscht nachdenkliche Stille. Bis Kevin plötzlich hochfährt.

„Ich hab's!", ruft er. „Du brauchst ein Wahrheits-Serum! Wenn Melina das trinkt und sie dich mag, kann sie gar nicht anders – sie *muss* es dir sagen!"

„Nein, du brauchst einen Liebes-Zaubertrank", meint Moritz. „Dann ist Melina automatisch in dich verliebt!"

„Oder ein Lockmittel!" Kevin sprudelt über vor Ideen.

Ein Melina-Lockmittel? Paul lacht. Tolle Idee! Schade, dass es so etwas nur im Märchen gibt.

„Ein Lockmittel? Das ist gar nicht so dumm", sagt Leon. „Frauen mögen es, wenn Männer gut riechen. Mama schwärmt jedenfalls immer, wenn Papa nach Rasierwasser duftet."

„Und meine Mama kann es nicht leiden, wenn Papa in der Kneipe war und nach Bier und Zigaretten stinkt", sagt Kevin.

„Okay", sagt Paul entschlossen. „Wo bekomme ich so ein Melina-Lockmittel her?"

„Das machen wir selbst", erklärt Leon. „Jeder holt alles von zu Hause, das gut riecht. Daraus mischen wir dann das beste Lockmittel aller Zeiten!"

Kevin, Moritz und Paul nicken zustimmend.

„Du wirst sehen, das klappt", sagt Leon zuversichtlich.

Am nächsten Tag kommt Paul zu spät zur Schule. Er leuchtet beinahe, so sauber ist er. Und wie er duftet! Allerdings nicht nach

Parfum oder Rasierwasser, sondern nach
Shampoo und Duschgel.

„Was ist denn mit dir passiert?", fragt
Melina leise und kichert, als er neben ihr
sitzt. „Hast du zweimal geduscht?"

„Nein, siebenmal. Deswegen komme ich
ja zu spät", sagt Paul. Und dann erzählt er
Melina vom gestrigen Tag. Wie er mit
Kevin, Leon und Moritz über eine Stunde
lang Parfums zusammengemischt hat.
„Wir wollten einen neuen, besonderen
Duft erfinden. Aber das Zeug hat
fürchterlich gestunken. Und es ging

nicht mehr ab! Erst nach dem siebten
Duschen!"

„Warum hast du es denn überhaupt
benutzt?", wundert sich Melina.

„Na ja, weil ... wegen ...", stottert Paul
und wird rot.

„Etwa meinetwegen?", fragt Melina.

Paul zögert. Dann nickt er langsam.

„Ach, wie süß!", seufzt Melina leise.

Paul wagt nicht, sie anzuschauen. Doch
er spürt, wie auf einmal ihre Finger ganz
vorsichtig seine Hand berühren ...

Der größte Erfinder aller Zeiten

„Was ist für dich die beste Erfindung aller Zeiten?", fragt Katharina ihre Mutter beim Mittagessen.

„Das schnell und sanft gleitende Dampfbügeleisen", sagt Mama und wirft einen vielsagenden Blick auf den Stapel frisch gewaschener Wäsche, der sich neben dem Bügelbrett auftürmt.

Katharina lacht. „Und wenn du heute nicht bügeln müsstest?", hakt sie nach.

„Ich weiß nicht, vielleicht die Geschirrspülmaschine", sagt Mama. „Warum fragst du?"

„Ach, wir haben so schwere Hausaufgaben auf", erklärt Katharina. „Ich soll aufschreiben, welcher Erfinder meiner Meinung nach der größte ist. Ich kenne aber gar keine Erfinder, und deshalb dachte ich ..."

„... frag mal deine alte Mutter", unterbricht Mama sie. „Oje, und dann habe ich ausgerechnet heute meinen Hausarbeits-Frust-Tag! Tut mir leid, Kati. Mit meinem Dampfbügeleisen habe ich dir wohl nicht viel weitergeholfen, was?"

„Nicht so schlimm", meint Katharina. „Vielleicht gibt es ja in der Stadtbücherei ein Buch über Erfinder."

Gleich nach dem Essen macht sie sich auf den Weg. Aber sie hat Pech.

„*Ein* Buch?", fragt die Bibliothekarin.

„Wir haben mindestens zehn Bücher
über Erfinder. Aber die sind zurzeit alle
ausgeliehen. Wahrscheinlich beschäftigt
sich gerade eine Schulklasse mit dem
Thema."

„Ja, und ich weiß auch, welche",
murmelt Katharina enttäuscht vor sich hin.

Sie beschließt, wieder nach Hause zu
gehen. Zum Glück entdeckt sie ein Buch,

das sie noch nicht kennt. So war der Weg
wenigstens nicht umsonst.

Zu Hause angekommen, wirft Katharina
sich gleich auf ihr Sofa und vertieft sich in
das Buch. Wegen der Hausaufgaben
macht sie sich keine Sorgen. Wenn Papa
von der Arbeit kommt, hilft er ihr bestimmt!

Doch erst einmal ist Papa müde und
braucht seine Ruhe. Später hat er Hunger
und muss etwas essen. Danach hilft er
Mama beim Tischabräumen, und erst
dann kann Katharina von ihren Hausaufgaben erzählen. Immerhin weiß Papa
sofort, worum es geht. Und er hat auch
gleich eine Lösung parat.

„Wozu gibt es das Internet?", meint er und schaltet den Computer an. „Übrigens, für mich ist das die wichtigste Erfindung: der Computer. Und das Internet."

„Das sind zwei Dinge, Papa", sagt Katharina. „Und genau da liegt das Problem. Ich liebe meine Bücher, also müsste für mich eigentlich die Buch-druckkunst die wichtigste Erfindung sein. Am schönsten ist es aber, abends im Bett zu lesen, und dafür brauche ich Licht!"

„Verstehe", sagt Papa. Er öffnet im Internet eine Suchmaschine und gibt „Erfinder" ein.

„Und selbst wenn ich mich entscheiden
könnte, wüsste ich noch lange nicht,
wer die Buchdruckkunst und das Licht
erfunden hat", klagt Katharina.

„Das waren Johannes Gutenberg und
ein gewisser Thomas Edison", sagt Papa
und starrt gebannt auf den Bildschirm.

„Hör mal", sagt er und liest vor: „Die
drei wesentlichen Eigenschaften eines
Erfinders sind: erstens, dass er ein
Problem erkennt; zweitens, dass er den

Willen hat, dieses Problem auf eine
neue kreative Art und Weise zu lösen,
und drittens, dass er damit schon
einmal erfolgreich war. Ist das nicht
spannend?"

„Na ja", murmelt Katharina.

Doch plötzlich hat sie eine Idee.

Natürlich, das ist es! Strahlend drückt sie
Papa einen Kuss auf die Wange und läuft
in ihr Zimmer. Die Hausaufgaben sind so
gut wie gemacht.

Der größte Erfinder aller Zeiten ist für
Katharina natürlich – ein Geschichten-

Erfinder! Und Katharina kennt zufällig den allerbesten: ihren Opa. Er kennt das Problem, dass Katharina stets neue Geschichten hören will. Er löst es, indem er immer neue Geschichten erzählt. Und damit ist er jedes Mal äußerst erfolgreich.

Opa ist also ein echter Erfinder. Das wird Katharina ihm morgen sagen, gleich nach der Schule, wenn sie ihn besuchen geht. Und bestimmt erzählt Opa dann wieder eine wunderschöne neue Geschichte ...!

Wahr oder erfunden?

Die Erfindung des Telefons

Der Amerikaner Elisha Grey begann 1875 mit einer Erfindung, die die menschliche Stimme elektronisch übertragen sollte. Dies wollte er im Februar 1876 zum Patent anmelden. Es gelang ihm nicht, weil ein anderer die gleiche Erfindung zwei Stunden zuvor angemeldet hatte.

Ist diese Geschichte wahr oder erfunden?

Antwort:
Die Geschichte ist wahr!
1875 begann Elisha Grey Versuche mit der elektrischen Übertragung der menschlichen Stimme, deren Ergebnis in einem Patentgesuch vom 14. Februar 1876 niedergelegt wurde. Grey erhielt aber kein Patent, weil Alexander Graham

Bell ihm mit der Anmeldung auf sein Telefon am gleichen Tag zwei Stunden zuvorgekommen war. In einem Patentstreit gelang es Grey nicht, seine Ansprüche gegen Bell durchzusetzen. Inzwischen ist allerdings erwiesen, dass nicht Alexander Graham Bell der Erfinder des Telefons war, sondern Antonio Meucci.

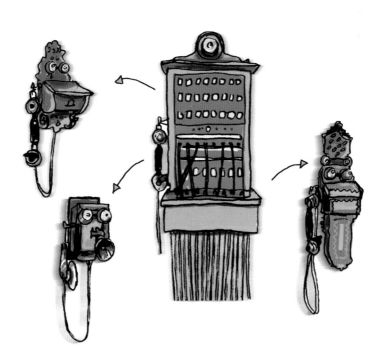

Die größte Erfindung

Im Juni 2005 wurden im ZDF die 50 größten Erfindungen aller Zeiten gewählt. Dabei kam das Handy auf Platz 1!

Ist diese Behauptung wahr oder erfunden?

Antwort:
Diese Behauptung ist erfunden.
Zur wichtigsten Erfindung wurde nämlich das Rad gewählt, gefolgt von der Glühbirne und der Buchdruckkunst. Das Handy kam aber immerhin auf Platz 17.

Der Nobelpreis

Die besten und wichtigsten Erfindungen werden Jahr für Jahr mit dem Nobelpreis ausgezeichnet. Daneben gibt es aber auch einen „Anti-Nobelpreis" für unwürdige oder verrückte Erfindungen.

Wahr oder erfunden?

Antwort:
Das ist wahr!
Der Anti-Nobelpreis wird von der Universität Harvard vergeben für Erfindungen, „die nicht wiederholt werden können oder sollten". Für die Erlösung der Menschheit von den geruchlichen Auswirkungen von Darmwinden erhielt Buck Weimer aus Pueblo/Colorado im Jahr 2001 zum Beispiel den Anti-Nobelpreis für Biologie. Er erfand eine „gasdichte Unterhose"!

Ulli Schubert wurde 1958 in Hamburg geboren und lebt immer noch sehr gern dort. Er arbeitete als Erzieher und als Sportreporter und schreibt seit 1991 Bücher für Kinder und Jugendliche. Als Kind mochte er vor allem Fußball-bücher und Krimis, die er mit der Taschenlampe unter der Bettdecke verschlang. Sein Lieblingshobby aber war Fußballspielen. Das hat sich bis heute kaum geändert. Fußball liebt er immer noch, vor allem den FC St. Pauli.

Mehr über Ulli Schubert erfährst du unter:
www.ulli-schubert.de

Elisabeth Holzhausen ist 1958 in Kehdingen geboren und aufgewachsen und lebt heute in Hamburg. Sie studierte Illustration an der Hochschule für angewandte Wissenschaften in Hamburg. 1994 gründete sie das Atelier 9 mit acht anderen Illustratoren, in dem sie heute noch arbeitet und seit 2000 Kinderbücher illustriert.

Mehr über Elisabeth Holzhausen erfährst du unter: www.atelier9.de

Leselöwen

Die 4. Stufe der Loewe Leseleiter

Bereits seit mehreren Jahrzehnten führen die Leselöwen
Millionen von jungen Lesern mit Spaß zum Lesen.
Die vielen abgeschlossenen Geschichten sind durch
eine klare Gestaltung einfach zu lesen, sodass die
Lesemotivation erhalten bleibt und die Lust aufs
Weiterlesen gestärkt wird. So werden aus
Leseanfängern stufenweise kompetente Leser.

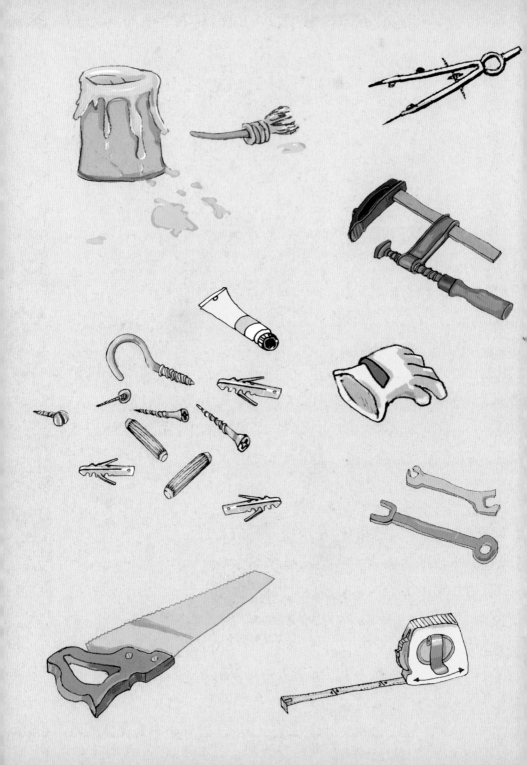